★ ★ ★ ★ ★

我不要撒谎

据［法］克利斯提昂·约里波瓦同名绘本动画片改编

郑迪蔚／编译

下蛋，下蛋，总是下蛋！

生活中肯定有比下蛋更好玩的事情！

我们收养了一头小毛驴……

喔喔喔——

伴随着皮迪克嘹亮的打鸣声，一轮红日透过清晨的薄雾缓缓升起。

崭新的一天开始了……

喔喔喔

突然，皮迪克被一阵嘈杂声打断了……

“我还没唱完呢，是谁在喧宾夺主？”

卡梅利多和卡门也被吵醒了。

“讨厌！是哪头驴在大喊大叫？”

“我的回笼觉又泡汤了！可恶！”

不知从哪儿冒出来的一头驴子，在鸡舍旁嘶声大叫……

快跑！

笨驴！

“驾，驾！快跑，笨驴！”小胖墩使劲用一把荆棘抽打毛驴。

大嗓门在后面拽着驴尾巴，玩起沙地滑板。

“就你也想阻止我？！要不要尝尝荆棘刺身的威力？”小胖墩又用力拉了拉毛驴脖子上的绳子，痛得毛驴跳起来大叫，但他的尾巴又被大嗓门拽住了，动弹不得……

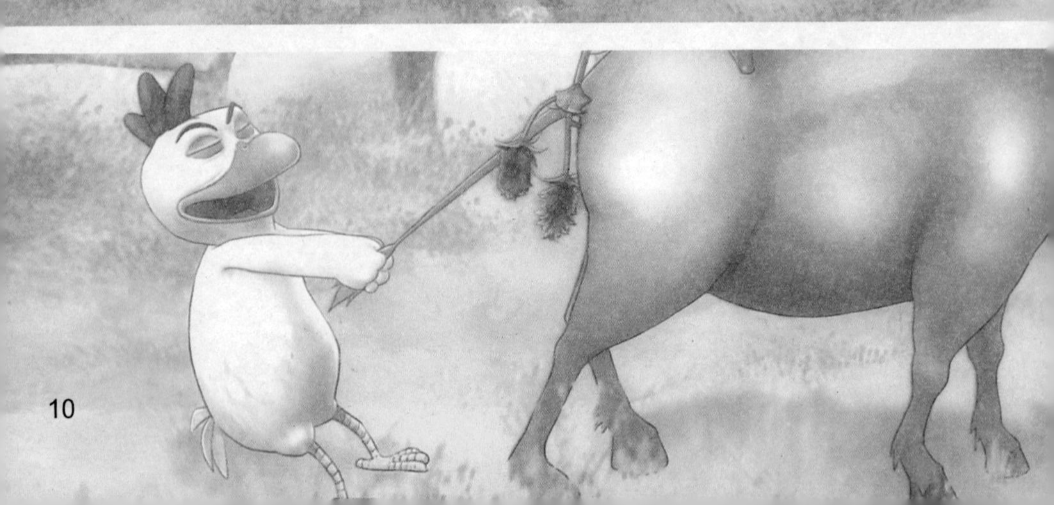

“站住！你们太过分了！怎么可以这样对待小动物?!”卡门气愤地大喊。

“我警告你，再不放开毛驴，我就不客气了！”卡梅利多攥着拳头走向大嗓门。

“你们不应该虐待毛驴！”

“更不能用荆棘扎他！”贝里奥也觉得小胖墩的行为太过分了。

大嗓门寻思如果打起架来，三对一毫无胜算，立刻松开了手，反过来教训起小胖墩。

“胖墩！你怎么可以欺负可怜的小毛驴?!”

“我没有！不是我！”小胖墩忙着解释，松开了手中的绳子。

小毛驴感到脖子上的绳子一松，立刻飞奔起来。“啊！”小胖墩从驴背上摔了下来。

“快跑！毛驴追过来了！”大嗓门推着小胖墩赶紧往家跑。

“大嗓门，你刚才说我坏话！”

“都什么时候了，没看见那三个家伙恶狠狠的表情吗？要能屈能伸！”

卡门跳上驴背，试图勒住受惊的毛驴。

“小毛驴，别害怕，我马上给你自由……”

但卡门怎么也解不开绳子上的死结。

贝里奥勇敢地跳了上去，使劲咬断了毛驴脖子上的麻绳。

获得自由的小毛驴一阵狂奔把贝里奥甩向空中……

幸好贝里奥抓住了驴尾巴：“站住！我的羊毛都被吹直了！”

小毛驴跑走了。贝里奥摔在了地上。

“哦……我的羊毛！”

夜晚的森林一片寂静，飞舞的萤火虫闪烁着点点光芒，小毛驴好奇地在灌木丛中奔跑嬉戏，他丝毫没有意识到危险正在靠近。

“头儿，有头驴！”田鼠细尾巴报告。

“可以把他做成香肠……”田鼠克拉拉流着口水，“还可以做顶牛仔帽，我上学的时候带！”

“上什么学！去抓那头驴，快！”田鼠普老大命令道。

嘘!

小毛驴正在吃草，听到灌木丛中有动静……

“到这来，小家伙！”田鼠细尾巴挥手分散小毛驴的注意力。

趁小毛驴愣神的时机，田鼠细尾巴从灌木丛中蹿了出来，一把抓住小毛驴的长耳朵。

“哈哈！这回我要立头功……”

“哎哟！”

小毛驴反身一脚正踹在田鼠细尾巴的肚子上，把他踢开了。

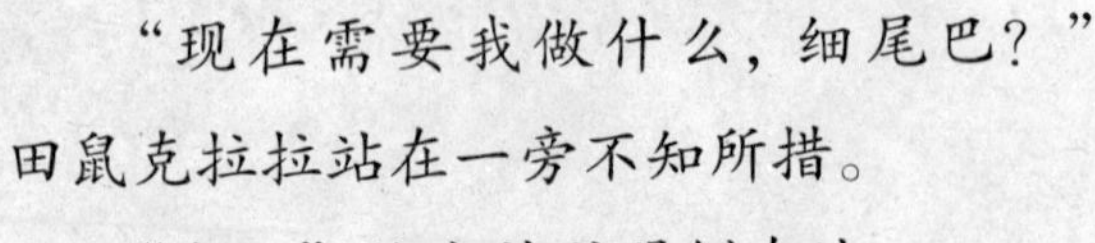

“现在需要我做什么，细尾巴？”田鼠克拉拉站在一旁不知所措。

“啪！”他也被驴踢倒在地。

“你俩连头驴都抓不到，还怎么跟我混！”田鼠普老大气哼哼地指责。

“驴肉香肠跑了，我们吃什么，头儿？”克拉拉饿得肚子咕噜咕噜直叫。

“吃鼠肉香肠！笨蛋！”

小毛驴甩开坏蛋田鼠的追逐，一路小跑找到一处安静的草地，开心地吃起夜宵来。

“展现我歌喉的时候到了，今天决不能只唱半截。”皮迪克精神抖擞，刚摆好姿势……

哦不！

“嗯昂——嗯昂——”

“太过分了！他怎么又回来了？”

鸡舍紧急召开家庭会议，讨论小毛驴的去留问题。

“我不同意他留下，这家伙不光个头大，而且还特多话……”皮迪克不满地从草垛上跳下来。

“那我们应该拿他怎么办？”公鸡爷爷无可奈何地问。

“小毛驴回来可能是希望和我们在一起，也可能是希望被我们收养。”卡门看着静静吃着草的小毛驴，“他多可怜……”

“……其实我们可以把他留在鸡舍，就当宠物养，你觉得怎么样，卡梅利多？”

“好主意，卡门！”

“如果是一条金鱼，可以当宠物养，但一头驴不行，他需要很大的活动场地！”卡梅拉耐心地劝说孩子们。

“农场里饲养棚很大，放心吧，妈妈。我保证把小毛驴养好。”

皮迪克不想打击孩子们的积极性：“好吧，就这么办！但是你们要负责到底。”

第二天，还没等皮迪克爬上草垛，小毛驴突然跑过来冲着他大叫："嗯昂！嗯昂！"

刺猬兄弟也未能幸免。

"皮克，我被这头驴的叫声吵得快犯心脏病了！"

"声音大于 60 分贝就是扰民！"

小毛驴无时无刻不在叫唤，还喜欢给小鸡们突然袭击，吓得小鸡卡卡翻墙跑到鸡舍里躲起来。

“吵死我了，我要睡觉，再也不出去了！”

“天哪！什么味？真臭！”公鸡爷爷差点踩到小毛驴的粪便。

嗯昂！
嗯昂！

嗯昂！
嗯昂！
啊！
晕！

“看你们干的好事！”皮迪克教训卡门和卡梅利多，“他已经把大家都惹恼了！养条金鱼，至少不会拉得到处都是！”

“他是有点笨……”卡门小声地承认错误，“也许他在田野里生活会更好……”

“还更自由！”卡梅拉做出的决定不容更改，“明天放他去田野，会比跟我们在一起幸福得多！”

“晚安，小毛驴。这是你在鸡舍的最后一个夜晚……”卡门依依不舍地和小毛驴道别。

小毛驴似乎听懂了，轻轻地叫了一声。

“啊！终于安静了。”贝里奥伸了个懒腰，很快进入了梦乡。

“这次决不能失手！”田鼠普老大一伙悄悄潜入鸡舍外，“先把那头驴干掉，不能让他叫唤！”

“遵命，头儿！我们是把他完整给你带来，还是大卸八块？”

今晚轮到公鸡爷爷值夜班。

“谁在那儿？”公鸡爷爷警觉地大吼一声。

“嘿！是我们，你的死对头！”

田鼠克拉拉和细尾巴突袭成功，公鸡爷爷被打昏在地，“嘻嘻，搞定一个！”

“我好像听到爷爷的呼救声。”

“走，我们过去看看！”卡门和卡梅利多跑出鸡舍。

“贝里奥，你看见我爷爷了吗？”

贝里奥从草垛顶上冒出头，“我没看见爷爷，但有几个黑影出现在围墙那边。会不会是坏蛋田鼠把爷爷……”说到这儿，贝里奥不禁吸了口冷气。

“别紧张，爷爷有功夫，应该不会出事……”卡梅利多也不愿多想。

“我知道谁能帮咱们战胜这帮坏蛋！”卡门想出了一个好主意，“快走！”

“我想出了个新食谱，在驴肚子里塞满鸡肉或者鸡肚子里塞满驴肉烤着吃，一定很香。”田鼠克拉拉忍不住咽了口唾沫。

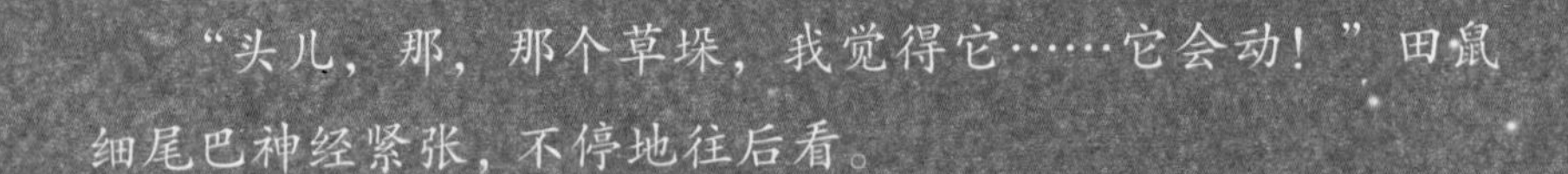

“头儿，那，那个草垛，我觉得它……它会动！”田鼠细尾巴神经紧张，不停地往后看。

“少废话！快过来！”
嘘！
“真的，真的，头儿！草垛在动！”

“草垛会叫，头儿！”田鼠克拉拉和细尾巴撒腿就跑。

“小点声！我忙着呢！”田鼠普老大正专心致志地撬锁。

啪！

田鼠普老大刚打开鸡舍大门锁，突然屁股被狠狠地顶了一下，摔到地上。

“哎哟！”

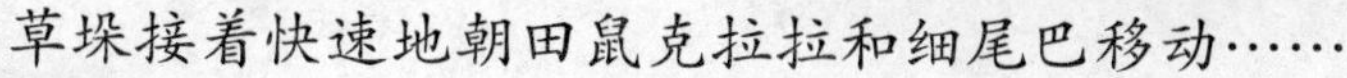

草垛接着快速地朝田鼠克拉拉和细尾巴移动……

“头儿，我们快逃吧！闹鬼了！”

“起来！你压得我动弹不得！”田鼠普老大气呼呼地吼道。

嗯昂！

快速移动的草垛把坏蛋田鼠撵得四处乱窜。

“撤！回老窝！”田鼠普老大命令同伙。

“头儿，我们今天是不是吃不到驴肉香肠了？”田鼠克拉拉对美食总是念念不忘。

“有鼠肉香肠吃！笨蛋！”

经过一晚的智斗，坏蛋们被赶走了，鸡舍在朝阳中迎来了新的一天。

“他们来过了，这帮坏蛋……”公鸡爷爷捂着扭伤的腰站起来，“哎哟！我的老腰……”

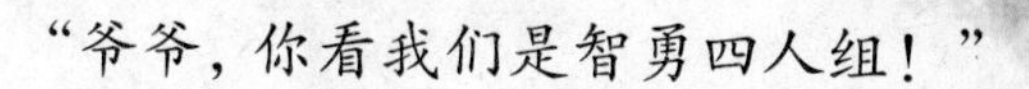

“爷爷，你看我们是智勇四人组！”

“真没想到你昨天表现那么棒，小毛驴！”卡门夸奖道。

“谢谢你，小毛驴。你救了我们，救了鸡舍！”卡梅利多赞扬道。

卡梅利多话音刚落。

噗噜噜——小毛驴身上冒起一股紫烟……

啪！小毛驴不见了，一个小男孩站在小鸡们面前。

“真棒！我不再是头驴，我变回来了！”小男孩反复地看着自己的双手，兴奋地大喊，“我变回匹诺曹了！变回来了！”

“现在你相信青蛙变王子的故事了吧，青蛙只需要公主的一个吻。”刺猬尼克拉着皮克的手。

“好啦，你口臭，是不会吸引到任何一位公主的……”

皮迪克闻讯赶过来："天哪！匹诺曹，你怎么会变成一头驴的？"

"噢，因为我太贪玩了，就不停地撒谎……后来，仙女为了惩罚我，就把我变成一头驴了。"

"但为什么你以前没有变回来呢？"卡门接着问。

匹诺曹冲着卡梅利多挤挤眼："你说了句'谢谢'，忘了吗？我必须做一件好事才能解除咒语！"

“生活真美好！”匹诺曹走向大嗓门，“我认识你们！如果我没记错的话，你们很喜欢用荆棘刺扎人！”

“我们从没见过你！”小胖墩转身就跑。

皮迪克看着匹诺曹追出去的背影，“哈哈，从此以后，我们再也不用听你高分贝的噪音了！”

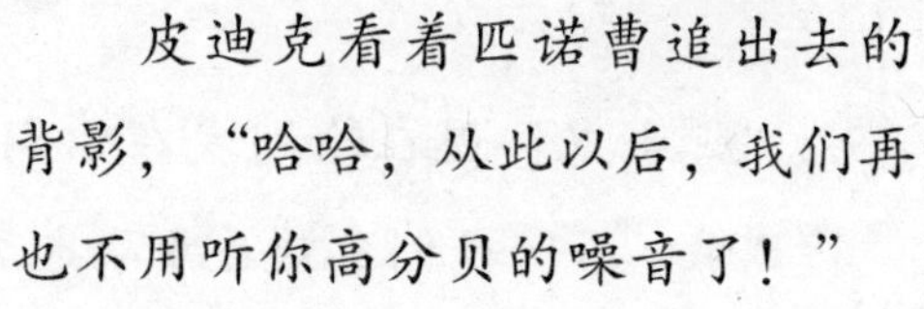

“胆小鬼！现在轮到我在你们的屁股上扎刺了！”

“哦，不！我们喜欢毛驴，也喜欢小男孩！”

匹诺曹诞生于意大利作家卡洛·科洛迪的笔下，他是家喻户晓的童话故事《木偶奇遇记》中的可爱的小木偶。老木匠用木头雕成了他，给他起名匹诺曹。

匹诺曹梦想着变成一个真正的小男孩，一位仙女满足了他的愿望，但这个调皮的男孩没有听仙女的话，不仅自私、懒惰，厌恶学习，而且爱撒谎，整天只想着玩，让爱他的人伤透了心……后来他受到了惩罚，变成了一头驴。然而，亲人的期盼让他迷途知返，重新回到了温暖的家，最后他终于变成了一个真正的男孩。

当毛驴的滋味可不好受呢，
嗯昂——嗯昂——

卡洛·科洛迪
（Carlo Collodi, 1826年11月24日—1890年10月26日）

不一样的卡梅拉

不一样的卡梅拉 第1季

1.《我想去看海》
2.《我想有颗星星》
3.《我想有个弟弟》
4.《我去找回太阳》
5.《我爱小黑猫》
6.《我好喜欢她》
7.《我能打败怪兽》
8.《我要找到朗朗》
9.《我不要被吃掉》
10.《我要救出贝里奥》
11.《我不是胆小鬼》
12.《我爱平底锅》

不一样的卡梅拉 第2季

1.《我的北极大冒险》
2.《我要逃出皇家农场》
3.《我的魔法咒语》
4.《我发现了爷爷的秘密》
5.《我的鸡舍保卫战》
6.《我想学骑自行车》
7.《我梦游到仙境》
8.《我遇到了埃及法老》
9.《我的本命年任务》
10.《我要找回钥匙》
11.《我创造了名画》
12.《我的个人演唱会》

不一样的卡梅拉 第3季

13.《我学会了功夫》
14.《我要坐飞毯》
15.《我不要撒谎》
16.《我的马拉松战役》
17.《我炼出了黄金》
18.《我想去放烟花》
19.《我的催眠树根》
20.《我讨厌小红帽》
21.《我不怕闪电》
22.《我是罗密欧》

不一样的卡梅拉 珍藏版（共三册）

据［法］克利斯提昂·约里波瓦同名绘本动画片改编

图书在版编目（CIP）数据

我不要撒谎 / (法) 约里波瓦文；
(法) 艾利施图；郑迪蔚编译.
-- 南昌：二十一世纪出版社，2014.7（2014.10重印）
（不一样的卡梅拉动漫绘本）
ISBN 978-7-5391-9871-2

Ⅰ. ①我… Ⅱ. ①约… ②艾… ③郑…
Ⅲ. ①动画—连环画—法国—现代
Ⅳ. ①J238.7

中国版本图书馆CIP数据核字(2014)第140946号

版权合同登记号 14-2012-443
赣版权登字—04—2014—471

我不要撒谎 郑迪蔚 / 编译

策　　划　奥苗文化　郑迪蔚
责任编辑　黄　震　　陈静瑶
制　　作　敖　翔
出版发行　二十一世纪出版社
　　　　　www.21cccc.com　cc21@163.net
出 版 人　张秋林
印　　刷　江西华奥印务有限责任公司
版　　次　2014年7月第1版　2014年10月第3次印刷
开　　本　800mm × 1250mm　1/32
印　　张　1.5
书　　号　ISBN 978-7-5391-9871-2
定　　价　10.00元

本社地址：江西省南昌市子安路75号　330009（如发现印装质量问题，请寄本社图书发行公司调换 0791-86512056）